Pour Alice
Q. G.

© 2011 Éditions Mijade
18, rue de l'Ouvrage
B-5000 Namur

© 2011 Quentin Gréban
pour le texte et les illustrations
ISBN 978-2-87142-734-6
D/2011/3712/32

Imprimé en Belgique

Quentin Gréban

Gipsy Panda

Mijade

Ce matin, une vieille biquette a crié:
«Au voleur, au voleur!
Voleur de poule!»
lorsque je suis passé devant elle avec ma roulotte.

Je n'ai jamais volé de poule, moi!

Tiens ? Qu'est-ce que c'est que ça ?
Une petite plume blanche.

Et si je la mettais à mon chapeau ?
C'est très joli.

Cot cot

Qu'est-ce que c'est que ce bruit ?

Rien devant, rien derrière… je ne vois rien.
Comme c'est étrange !

Bon! il est l'heure de manger.

Mais? Qui a pris mon déjeuner?
Le temps de me retourner et il a disparu!
Une plume dans mon assiette!
Bizarre, bizarre…

Rien de tel qu'un petit air de guitare pour me détendre.
Djobi, djoba, tralalalala… là !
Des empreintes de poule…

Cette fois, c'est certain, je la tiens !
Je suis la piste et… je tourne en rond : pas de poule en vue.
De plus en plus bizarre.

Il se passe des choses derrière mon dos.
Dorénavant, je garde un œil sur la route et l'autre aux aguets.
Il faut tirer cette affaire au clair.

Pas le moindre caquètement à l'horizon,
pas la moindre plume dans les airs.
Je suis sans doute trop fatigué ?

Cette histoire m'épuise.
Je vais faire une petite sieste.
Je ne dors pas très bien, je rêve de poules...
Des poules partout,
encore des poules et des poules,

des milliers de poules!

Un œuf tout chaud sur mon oreiller!
Je n'ai donc pas rêvé, il y a un intrus dans ma roulotte.

Je vais t'attraper, ma poulette! Où te caches-tu, saperlipoulette!

Quelle journée!
On me traite de voleur de poule,
alors que c'est une poule
qui me vole mon déjeuner,
puis me file sous le nez.

Tu l'auras voulu, ma cocotte,
cette fois j'utilise la manière forte.
Viens, viens picorer mes petites graines,
et ce soir, je mangerai de la poule au pot!

Ô désespoir…
La poule n'est pas venue
et je n'ai toujours rien mangé depuis ce matin,
j'ai faim, moi !

Il ne me reste plus qu'à grignoter ces quelques graines…

CLAC !

Catastrophe !

Le piège s'est refermé sur moi.

Cot cot

Oh la vilaine, je l'entends à nouveau.
Voilà qu'elle approche.
Que fait-elle ?
Je n'y vois rien dans ce fichu panier.

Oh, merci, poulette, tu m'as libéré !
Que je suis bête d'avoir voulu te chasser, gentille poulette.
Accepterais-tu de faire un bout de voyage avec moi ?

En route, ma poule !
Mais… tu entends ? Qu'est-ce que c'est que ce…

Groin ! Groin !